Tha an leabhar seo
mu Thopsy is Tim le

Topsy + Tim

agus na Poilis

Jean agus Gareth Adamson

LINDSAY PUBLICATIONS

Air fhoillseachadh ann an 2000 le
Lindsay Publications,
PO Box 812,
Glaschu G14 9NP

Air ullachadh dhan chlò le
Creative Imprint Ltd www.creativeimprint.co.uk

A' Ghàidhlig le Iain MacDhòmhnaill

LAGE/ISBN 1 898169 18 7

Air fhoillseachadh an toiseach sa Bheurla le Ladybird Books Ltd

Air a chlò-bhualadh san Eadailt

Chuidich Comhairle nan Leabhraichean am foillsichear le cosgaisean an leabhair seo.

Bha cabhag mhòr air Topsy is Tim
aon mhadainn is iad a' falbh dhan sgoil.
'Tha na poilis a' tighinn dhan sgoil
an-diugh a bhruidhinn rinn,' thuirt iad
ri Mamaidh.

Nuair a ràinig iad an sgoil, bha càr poilis
air tighinn, is bha poileasman agus
ban-phoileas a' tighinn a-mach às.
'Càit a bheil Miss Anderson?' thuirt iad.
'Carson - dè a rinn i?' arsa Dòmhnall Beag
Ruadh, is e cho cabach.

Ach dh'inns Topsy is Tim dhaibh
càit am faigheadh iad Miss Anderson.
''S e Miss Anderson an tidsear againne,'
thuirt iad ris na poilis.

'Tha am poileasman Alasdair
Fearghastan agus a' bhan-phoileas
Sìne Mhoireasdan air tighinn
a dh'innse dhuinn mun obair aca,'
thuirt an tidsear ris a' chloinn.
'Bheil fhios aig duine agaibhse
dè a bhios na poilis a' dèanamh?'

'Glacaidh iad mèirlich,' arsa Dòmhnall Beag.

'Cumaidh iad rian air trafaig,' arsa Tim.

'Lorgaidh iad clann a bhios air chall,'
arsa Topsy.

'Nì sinn iad sin air fad, is lorgaidh sinn
rudan a bhios air chall cuideachd,'
thuirt na poilis.

'Smaoinich,' ars Alasdair Fearghastan
am poileasman, 'nam biodh Tim an seo
a' coiseachd sìos an t-sràid
agus gum faiceadh e sporan làn airgid.
Dè bu chòir dha a dhèanamh?'
'An t-airgead a chosg?' arsa Dòmhnall.
'Chan e idir,' thuirt am poileasman.
'Cha bhiodh sin ceart. Bu chòir dha
a thoirt gu stèisean a' phoilis.'

'Can gur h-e Topsy a chaill an sporan,'
arsa Sìne Mhoireasdan a' bhan-phoileas.
'Dè bu chòir dhise a dhèanamh?'
Cha robh fhios aig duine dhen chloinn.
'Bu chòir dhi,' arsa Sìne, 'a dhol
gu stèisean a' phoilis agus innse dhaibh
an sin gun do chaill i a sporan.
An uair sin dh'fhaodadh na poilis
an sporan aice a thoirt air ais dhi.'

Chuidich Topsy is Tim a' bhan-phoileas
is i a' cur suas dhealbhannan. Bha iad
a' sealltainn nam poileas ag obair.
Bha cù poilis ann an aon dealbh.
'A bheil cù poilis agaibhse?' thuirt Topsy.

'Chan eil,' thuirt Alasdair Fearghastan.
'Bidh coin aig feadhainn a dh'ionnsaich
coin poilis a làimhseachadh.
Bidh na coin a' lorg rudan a tha air chall
no a chaidh a chur am falach.
Tha na coin uabhasach glic.'

Dh'inns Alasdair dhan chloinn gu robh e
glè chudromach gum biodh na poilis
a' tighinn a-steach do sgoiltean airson innse
dhan chloinn mar a bhiodh iad sàbhailte.
'Tha àitichean ann,' thuirt e,
'nach eil sàbhailte airson cluiche idir.'

Smaoinich e còmhla riutha air àitichean
a bha cunnartach. 'Na bi a' cluich faisg
air uisge domhainn - dh'fhaodadh tu
tuiteam ann,' thuirt Kerry.
'Na bi a' cluich faisg air an rèile -
dh'fhaodadh trèan bualadh annad,'
thuirt Calum MacNeacail.
'Na bi a' cluich far a bheil iad a' togail
thaighean - dh'fhaodadh tu gearradh
fhaighinn o rudeigin biorach meirgeach,'
thuirt Ceitidh Anna Mhàrtainn.

'Fuirich an còmhnaidh,' ars am
poileasman, 'far am faic Mamaidh thu,
agus na bruidhinn ri coigrich
uair sam bith. Ma dh'fheuchas
coigreach ri bruidhinn riut
air an t-sràid, no an àite sam bith,
na leig leis tighinn faisg ort.'
'Dè a th' ann an coigreach?' thuirt Tim.

'Tha,' ars Alasdair, 'srainnsear,
no cuideigin nach aithne dhut.
Tha a' chuid as motha de dhaoine
coibhneil is laghach, ach tha beagan
dhaoine ann a tha airson falbh le clann
agus an goirteachadh. Mar sin, na teirg
am broinn càr cuideigin nach aithne dhut
UAIR SAM BITH - fiù 's ged a bhiodh
fhios aige air d' ainm agus e a' coimhead
glè laghach.'

'Ma dh'fheuchas srainnsear
ri bruidhinn riut, no ma dh'iarras e ort
a dhol dhan chàr aige, inns sin
do Mhamaidh no dhan tidsear agad.
Bu chòir dhaibhsan an uair sin innse
dha na poilis,' thuirt Alasdair.

Chuidich a' bhan-phoileas Mhoireasdan
a' chlann an uair sin ann an gèam
air an robh 'Coigreach Cunnartach'.
Bha Dòmhnall Beag Ruadh
na choigreach dona. 'Chaill mi an cuilean
agam,' thuirt e ri Vinda. 'An tig thusa
còmhla rium a choimhead air a shon?'
'Cha tig, cha tig,' dh'èigh Vinda,
is chum i air falbh bhuaithe.

Rinn Rai Dadaidh Vinda, is thug e i
gu stèisean a' phoilis a dh'fhaicinn
Topsy is Tim. Bha iadsan a' dèanamh
nam poileas. 'Tha an nighean bheag
agam a' ràdh gun do chuir srainnsear
an t-eagal oirre,' thuirt Rai.
'Tapadh leibh airson innse dhuinn,'
arsa Tim. 'Feuchaidh sinne
ris an duine grànda sin a ghlacadh.'

An dèidh seo bha an t-àm aig na poilis,
Sìne is Alasdair, tilleadh dhan stèisean.
Smèid a' chlann dhaibh
nuair a dh'fhalbh iad sa chàr aca.

Nuair a bha iad a' dol dhachaigh
às an sgoil an latha sin fhèin, chunnaic
Topsy rudeigin gleansach air an rathad.
Dè a bh' ann ach broidse brèagha.
'Bidh cuideigin brònach an dèidh broidse
cho snog a chall,' arsa Mamaidh.

'Feumaidh sinn a thoirt gu stèisean
a' phoilis,' thuirt Tim. 'An uair sin
faodaidh na poilis a thoirt air ais
dhan duine a chaill e.'

'Seadh,' ars an sàirdseant a bha
san stèisean, 'dè a nì mi dhuibh?'
'Tha Topsy air broidse brèagha a lorg,'
arsa Tim. Thug e am broidse
dhan t-sàirdseant, agus sgrìobh ise
mu dheidhinn san leabhar aice.
Chuir i sìos seòladh Topsy is Tim
cuideachd. 'Innsidh sinn dhuibh
ma chluinneas sinn cò a chaill e,' thuirt i.

Chaidh iad dhachaigh, agus bha iad
aig am biadh nuair a chual' iad a' fòn.
Thog Dadaidh e. 'S e na poilis
a bha seo, is iad a' ràdh gu robh fhios aca
cò a chaill am broidse.
'Saoil cò leis a bha e,' thuirt Mamaidh.

An oidhche sin fhèin, nuair a bha
Topsy is Tim a' dèanamh deiseil
airson a dhol a chadal, thàinig gnogadh
chun an dorais. 'S e Ealasaid Ghòrdan
às a' Chlachan a bh' ann.
'Tapadh leibhse gu dearbha, a chlann,'
thuirt Ealasaid, 'airson am broidse agam
a lorg agus a thoirt gu na poilis.'